Y0-CCN-989

책 읽어 주세요, 아빠!

책 읽어 주세요, 아빠!

글 · 그림 니콜라 스미 /옮김 김서정
찍은날 1998년 11월 6일/ 펴낸날 1998년 11월 13일/ 펴낸이 정인철/ 펴낸곳 (주)프뢰벨미디어/ 출판등록 제16-1163호
주소 서울특별시 강남구 역삼동 649-5 녹색지팡이 빌딩/ 대표전화 3450-4041/ 팩스 3450-4010

Finish the Story, Dad

Text & Illustrations Nicola Smee
First published 1991 by Walker Books Ltd., London

프뢰벨 인성교육 시리즈 Ⅲ

책 읽어 주세요, 아빠!

글·그림 니콜라 스미/옮김 김서정

가족 이야기 3

한국프뢰벨주식회사

책을 좋아하는 어린이와
책 읽어 주기를 좋아하는 아빠에게 드립니다.

글 · 그림 니콜라 스미(Nicola Smee)

니콜라 스미는 영국에서 태어나 버밍엄 대학에서 미술을 공부했습니다.
디자이너로 일하던 중 그림책을 만들기 시작했고, 지금은 TV 어린이 프로그램의 그림 이야기 제작에도 참여하는 등 활발한 활동을 하고 있습니다.
어려서는 군인인 아버지 덕분에 여행을 많이 했다는데, 그래서인지 이 책에 나오는 안나도 이곳 저곳을 신나게 돌아다니지요.
현재는 남편, 세 아이, 고양이, 담비와 함께 조용한 교외의 작은 집에서 살고 있답니다.

옮김 김서정

중앙대학교 문예 창작과에서 박사 학위를 받았고, 독일 뮌헨 대학에서도 공부했습니다.
동화 작가, 번역가로 활동중이고 대학에서 아동 문학론을 가르치기도 합니다.

저녁마다 아빠는 안나를 품에 안고
책을 읽어 주십니다. 안나는 이 때가 가장 좋아요.

그런데 책읽기를 중간에 그만두시는 건
정말 싫어요.

“아빠, 아빠. 책 끝까지 읽어 주세요!”

“내일 밤에 마저 읽어 주마.”

안나가 거실까지 따라와서 조르자
아빠가 말했어요.
“아빠는 신문을 읽어야 해요.
내일 마저 읽어 줄 테니 그만 가서 자렴.”

안나는 할 수 없이 방으로 올라갔어요.
하지만 잠이 오지 않았어요.

그럴 때는 숫자를 세면 된다고
엄마가 말씀하셨지요.
그래서 안나는 '하나 둘 셋…….' 하고 세기 시작했어요.
그런데 갑자기 침대가 흔들렸어요.

"숫자는 뭐 하러 세니?"
아주 커다란 사자가 침대 발치에서 안나에게 물었어요.

"그러면 잠이 온대. 하지만 소용이 없어."
안나가 대답했어요.

“책을 읽어 주면 잠이 오는데…….
네가 이 책 좀 마저 읽어 줄래?”
안나가 사자에게 부탁했어요.

"아니, 싫어.
그 대신 내 등에 태워 줄게.
그러면 피곤해져서 잠이 올 거야."
사자가 말했어요.

하지만 조금 뒤에
피곤해진 건 오히려 사자였어요.

“태워 줘서 고마워. 하지만 난 하나도 안 졸려.
좀 걸어야겠어.” 안나가 말했어요.

안나는 나무 위에서 흔들거리는
커다란 뱀을 만났어요.
"이 책 좀 읽어 줄래?" 안나가 물었어요.

“아니, 싫어. 그 대신 내가 그네 태워 줄게.”
뱀이 말했어요.

조금 뒤, 뱀은 피곤해졌어요.
"이제 그만 좀 쉬어야겠다."
그래서 안나는 뱀에게 인사를 하고 가다가
고릴라를 만났어요.

“이 책 좀 읽어 줄래?”
“아니, 싫어. 그 대신 널 업고 나무 위를 뛰어다닐게.”
고릴라가 대답했어요.

조금 뒤, 고릴라는 피곤해졌어요.
"넌 이제 좀 쉬어. 난 갈게."
안나가 말했어요.

강으로 온 안나는 커다란 악어를 만났어요.
"이 책 좀 읽어 줄래?"
안나는 악어에게도 물었지요.

“아니, 싫어. 그 대신 강 건너쪽으로 태워다 줄게.”

악어가 말했어요.

안나는 강 건너에서 기린을 만났어요.
“이 책 좀…….”
“쉿! 우리 아기가 막 잠들었단다!”

“그럼 이 책은 누가 읽어 주지?”
안나는 한숨을 쉬었어요.

“누가 읽어 줄지 내가 알지.”
커다란 새가 말했어요.
“코끼리 할아버지야. 내가 데려다 줄게.”

새는 안나를 물고 한참 동안 하늘을 날았어요.
그러다 입을 열었지요.
"우리 좀 쉬어야 하지……." 그 바람에,

안나가 떨어졌지요.

떨어지고, 떨어지고, 떨어지다가……

쿵! 큰 소리를 내며
침대 밑으로 굴러 떨어졌답니다.

아빠가 허둥지둥 달려올라갔어요.

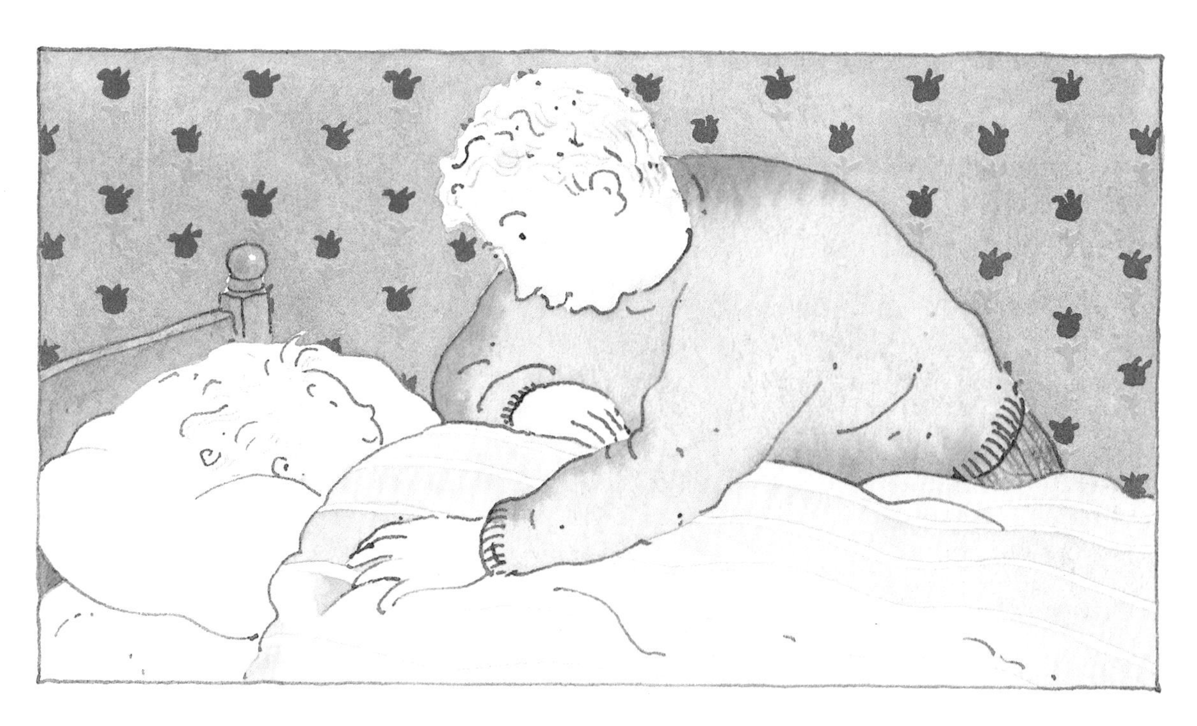

아빠는 안나를 안아 올려 침대에 눕히고
책을 집어 들었지요.

"책 마저 읽어 주마."

하지만 안나는 벌써 잠들어 버렸어요.

부모님께

잠들기 전 잠자리에서 듣는 아름다운 이야기는 어린이의 상상력과 정서 발달에 도움을 줄 뿐만 아니라

안정된 숙면을 취하게 함으로써 올바른 잠자리 습관을 형성하게 도와 줍니다.

특히 어린이가 직장 일이나 사회 생활로 바쁜 아빠와의 애착 관계를 위해서는 규칙적으로 갖는

잠들기 전 짧은 시간이 큰 역할을 하게 되지요.

이 동화는 아빠와의 책 읽는 시간 때문에 일어나는 놀라운 상상의 세계가 꿈이라는 매개를 통해 펼쳐지고 있습니다.

아직 책을 읽지 못하는 어린이의, 동화에 대한 호기심이 잘 묘사되어 있어 어린이가 그림책에 흥미를 갖고

꿈에 대한 막연한 두려움을 없앨 수 있도록 도와 줄 것입니다.

우리는
봄에 씨를 심는 농부의 마음으로
모든 어린이에게
밝은 미래를 준비하는 행복한 꿈을 심습니다.
그래서
우리는
이 세상에서 가장 좋은 것을 주고 싶은
간절한 마음으로 일합니다.

• 프뢰벨 가족 일동 •